# Turas go Maigh Eo

**Maolíosa Ní Chléirigh**
*a scríobh*

**Róisín Curé**
*a mhaisigh*

AN GÚM

Baile Átha Cliath

Bhí an Gabhar Ramhar ag labhairt leis an mBó.
Is bhí an Tarbh Garbh ag éisteacht.
Arsa an Gabhar leis an mBó:
'Tar liom go Maigh Eo
Ar cuairt chuig Daideo is Mamó.'

Foin

Arsa an Bhó leis an nGabhar:
'An dtabharfá dom cabhair
Le mo mhála a réiteach go beo?'

‘Tá go maith,’ arsa an Gabhar,
‘Seo éadaí agus leabhair
A thaitneodh go mór le Daideo!’

‘A Thairbh,’ arsa an Bhó,
‘Táim ag dul go Maigh Eo,
Ar cuairt chuig Daideo is Mamó.’
Arsa an Tarbh go searbh,
‘Ba chuma leat mise a bheith marbh.’
‘Ó ní fíor sin, a stór,’ arsa an Bhó de ghlór mór.
‘Tar linn, a chroí. Tú féin is an Lao
Tá go leor spáis sa charr dúinn uile.’

Ghlaoigh siad ar an Lao
A bhí ag spraoi
Istigh sa tuí.
Is d'imigh siad leo
Lán gleo go Maigh Eo.

TÁ 6 AMÚ

Chuala Mamó
Ar an gclár raidió
Go raibh Tarbh agus Gabhar agus Lao agus Bó
Ag teacht i gcarr go Maigh Eo
Ar cuairt chuig Mamó is Daideo.
Ó bhó!

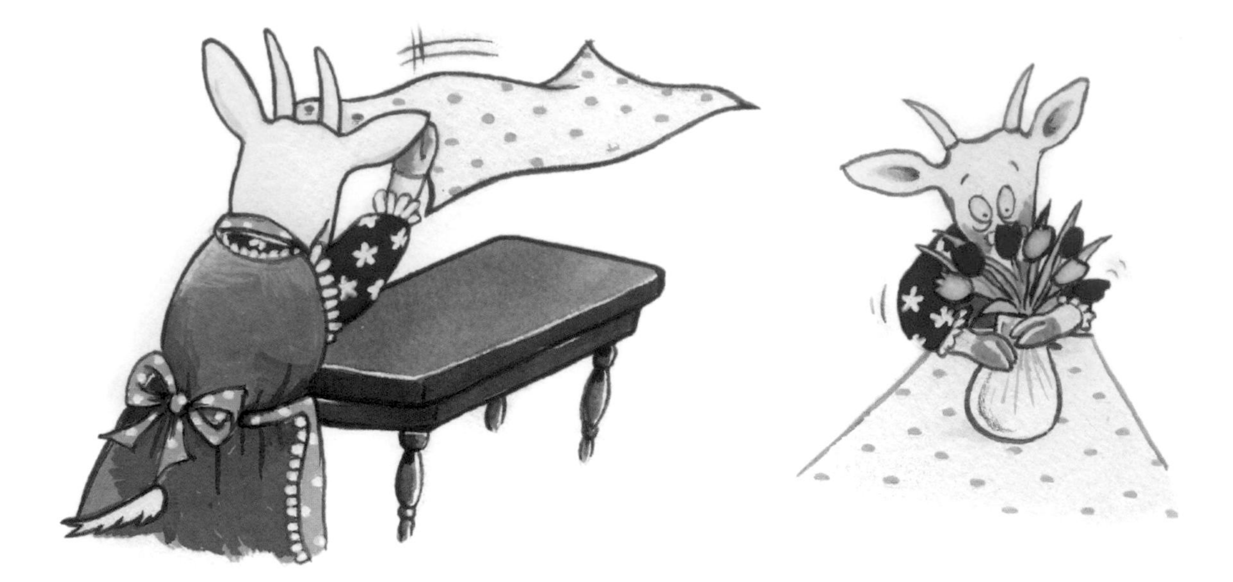

Réitigh sí lón,
Is rinne glao fóin,
Is chuir gach rud i gceart is i gcóir.

Nuair a shroich siad Maigh Eo,
Bhí lón réidh ina gcomhair.
Shuigh siad chun boird,
Is d'ith siad go leor.

An Tarbh, an Gabhar,
An Lao is an Bhó,
I dteach Mhamó is Dhaideo,
In iarthar Mhaigh Eo.

Nuair a d'ith siad a sáith,
Shín siad na cnámha,
Ar feadh tamall gearr
Gur bhraith siad níos fearr.

Ansin arsa an Bhó,
'Ar aghaidh libh go beo,
Gabhfaimid cois trá
Is gabhfaimid ag snámh.'

‘Tabhair leat buicéad is spád.
Rithfimid rás.
Ar aghaidh linn go brách
Síos go dtí an trá
Déan deifir, a ghrá!
Tá an lá go breá,
Ó, tá!’

Chuaigh siad ag snámh, an Bhó is an Lao.
Is bhí an Gabhar ina luí faoin ngrian.
Bhí an Tarbh ag léamh,
Go stuama séimh,
Is ní raibh scamall le feiceáil sa spéir.

Thóg an Bhó an lóis ghréine
Le cur ar gach éinne.
Shocraigh siad iad féin,
Is rinne bolg le gréin,
Ag gáire is ag spochadh as a chéile.

D'éirigh an Lao,
Is le cabhair ón nGabhar,
Rinne caisleán mór millteach
sa ghaineamh.

Ach tháinig madra, mo léan,
Ag rith is ag léim,
Is leag sé an caisleán go talamh.

Thug smugairle róin,
Cealg sa tóin
Don Tarbh mór garbh.

Thit sé i laige,
Is rith an Bhó chuige
Is dúirt, 'Mo ghrá geal! Tá sé marbh!'

D'imigh siad leo
Go dtí an dochtúir go beo,
Le leigheas a fháil ar an ngoin.

Arsa an dochtúir, 'Ariú,
Ná cuirigí mo chuid ama amú
Níl rud ar bith cearr leis an mboc sin!'

‘Tugaigí dó deoch uisce
Is braoinín beag fuisce
Is beidh sé ar a
sheanléim arís.

Anois imígí abhaile,
“An chéad duine eile!”
Ná déanaigí dearmad
an bille a íoc!’

Loís

Bhailigh siad leo
Ar ais go Mamó
Is chuir sise lóis ar a thóin.

'Áááááááá', ar seisean,
'Gortaíonn sé sin freisin.
Mí-ádh ort, a smugairle róin!'

Shuigh an Tarbh cois tine,
Ag cogaint na mine,
Is rinne sé glao teileafóin.

Bhí sé fós ag gearán
Nuair a chuir Mamó bindealán
Ar an gcealg a bhí ar a thóin!

‘Anois,’ ar sí,
‘Téirse a luí.
Is cuir piliúr isteach
faoi do cheann.

Beidh tú go breá
Nuair a ghealfaidh an lá
Ní bheidh pian ar bith
fanta ann.’

Dhúisigh an Lao
Le breacadh an lae
Is chuaigh sé isteach chuig an Tarbh.

Bhí sé fós ina chodladh
A mhaighdean, an boladh!
Chuirfeadh sé múisc ar dhealbh!

Bhí bricfeasta réidh,
Tósta agus tae,
Ag Mamó dóibh ar a naoi.

Ansin d'fhág siad slán,
Is léigh an Lao óg dán
A chum sé an oíche roimhe.

Is d'imigh siad leo,
An ceathrar leaideo,
Ar ais go Baile Átha Cliath.

A Dhia mhóir na glóire gile,
Dá bhfeicfeá an trácht agus iad ag filleadh!
Carranna idir bheag is mhór.

Ón Muileann gCearr
Isteach go dtí An Lár,
Bhí siad sínte tóin le srón.

1 LULA
TÁ 6 AMÚ

Ar Thimpeallán na Bó Deirge
Bhéic an Tarbh le teann feirge
Nuair a chuaigh leoraí mór
Trasna gan choinne.

'As an mbealach,' ar sé,
'In ainm dílis Dé.
Nach bhfeiceann tú
Go bhfuilim ar mire!'

Tar éis uair an chloig moille
Shroich siad an baile,
Is lig gach duine osna mhór faoisimh.

'Ní rachaimid go deo
Ar ais go Maigh Eo,'
Arsa an Tarbh leis an mBó.
'Á! Nach iontach anois a bheith fillte!

'An chéad uair eile,
Fanfaidh tusa sa bhaile.
De sin is féidir a bheith cinnte.'

(Arsa an Bhó léi féin,
Is í ag réiteach cupán tae
Don Ghabhar is don Lao sa chistin).